Unerwartetes Ergebnis

Ein Mitmensch, der ins Feuer blies,
er wollte Wärme. Und mehr nicht.
Jedoch da stob ihm überdies
ein Funkenregen ins Gesicht.

Angebote

Wolfgang Funke

Funkenregen

Heitere Gedichte

Verlag Tribüne Berlin

Umschlag- und Textillustrationen
von Cleo-Petra Kurze

ISBN 3-7303-0033-4

2. Auflage 1988
Lizenz 2 · 624/88 · LSV 7005
Printed in the German Democratic Republic
Gesamtherstellung
Grafischer Großbetrieb Völkerfreundschaft Dresden
Best.-Nr. 686 540 5
00200

Eingelullt in den Gedanken

Verhütungsfolgen

Jemand fuhr seit vielen Jahren
Auto. Und zwar unfallfrei.
Nie geriet er in Gefahren
oder auf die Polizei.

Jemand prüfte die Ventile,
wusch die Innenpolster aus,
maß diverse Lagerspiele.
Bürstete das Fahrerhaus.

Ständig glänzte die Karosse.
Jemand putzte auf dem Bauch,
kniend an der Wassergosse,
stehend mit dem Gartenschlauch.

Bremsen, Lenkung und Getriebe,
Jemand hielt das Zeug in Schuß.
Jemands Auto, Jemands Liebe.
Semper bonis artibus.

Lag er schmierend an der Achse,
dachte er sich bauernschlau,
Basis ist die Prophylaxe,
Therapie der Überbau.

Eingelullt in den Gedanken,
übersah er erstmals Rot
an zwei neuen Reichsbahnschranken.
Nun ist Jemand dennoch tot.

Erkenntnis

Ein Mitmensch, ohne seine Schuld geboren,
betrachtet sich die Welt, wägt ab, vergleicht
und registriert mit Augen und mit Ohren:
Weißgott, nur Ungeborensein ist leicht.

x minus 1

Ein Mitmensch. Allen war bekannt,
er sei ein wenig hirnverbrannt.
Ihm selber war das nicht so klar.
Und eben da lag die Gefahr.

Ungedeckter Scheck

Ein Mitmensch offerierte seine Güte
wie einen generösen Blankoscheck,
als stünde sie ihm selbstlos zu Gemüte.
In Wahrheit diente sie stets einem Zweck.

Die Schaumschläger

Sie schreiben stolz auf ihre Fahne:
Wir kämpfen! Und man denkt: Wie fein,
jetzt reihen die sich auch noch ein.
Dann aber werfen sie mit Sahne.

Beschämend

So mancher Mitmensch schämt sich ohne Grund
für seinen nicht ganz rassereinen Hund,
und ausnahmslos nach Sonnenuntergang
läuft er mit ihm die leere Straße lang.

Das ist zwar typisch, aber doch obszön,
denn welcher Mensch ist rundum smart und
schön,
und wer sah jemals von den Tieren
sich eins für seinen Herrn genieren?

Schließlich sind wir aufgeklärt

Vorbei die Zeit, da Kräuterweiber
emsig ihre Beutel füllten
und morbide Menschenleiber
sich in feuchte Tücher hüllten.
Schließlich sind wir aufgeklärt.

Vorbei die Zeit, da Pharmazeuten
noch Naturprodukte mengten,
die sie sodann den kranken Leuten
in die Körperhöhlen zwängten.
Schließlich sind wir aufgeklärt.

Vorbei die Zeit. Chemiegiganten
lassen ihre Bänder laufen,
damit auf unserem Trabanten
jung und alt Tabletten kaufen.
Schließlich sind wir aufgeklärt.

Vorbei die Zeit? Nein, ganz im stillen
wagt ein Käfer, uns zu spotten:
Noch dreht der Pillendreher Pillen.
Eilt, auch ihn noch auszurotten.
Schließlich sind wir aufgeklärt!

Know-how

Was den Neandertalern Mühe machte,
wenn sie mit ihren Äxten schlugen,
und was die Dampfmaschine nur vollbrachte,
goß man ihr Öl in alle Fugen,
das geht uns heut' wie Butter durch die Finger,
da sind wir heller als die Alten:
Wir haben die Computer, flotte Dinger,
mit denen wir – die Haare spalten.

Der Fußball grollt

Beim FCX herrscht dumpfe Fußballtrauer.
Der Klubvorstand ist völlig aus dem Lot,
und selbst die ärgsten Fans sind restlos sauer.
Die Klublaterne flackert trüb und rot.

Die Oberligajahre sind verflossen.
Vorbei die Zeit, da lupenreines Spiel
Erfolg ergab und Stürmer Tore schossen.
Nur noch der Mannschaftsarzt ist sehr agil.

Passé ist auch die x-getreue Masse,
die, statt im Stadion, vor der Röhre hockt.
Zudem beginnt die Wanderung der Asse,
weil hie und da ein Angebötchen lockt.

Man spielt vor ziemlich leeren Stadionbänken,
und nach dem Spiel spült man den Kummer fort.
Man hadert dann bei feurigen Getränken
mit sich und dem geliebten Fußballsport.

Noch niemals hing der Fußballsegen schiefer.
Und dennoch bleibt dem Klub ein schöner Trost:
Zwar spielt er nächstens eine Klasse tiefer,
dafür als echte Spitzenmannschaft. Prost!

Dreist

Jemand hatte Autopanne.
Irgendwo war was nicht dicht.
Jemand, ohne Wasserkanne,
stellte fest: Ich kann es nicht.

Plötzlich quietschten fremde Reifen
hinter Jemands linkem Bein.
Man stieg aus, um einzugreifen,
und man griff erfolgreich ein.

Jemand, in serviler Haltung,
hauchte: Danke, und wieviel
kostet diese Mühewaltung?
Noch schockiert, doch schon mit Stil.

Das klingt gut. Allein, das dreiste
Negativum des Berichts
folgt, denn: Wenn ich Hilfe leiste,
war die Antwort, will ich – nichts.

Halbiert

Ordnung ist das halbe Leben.
Doch ist dieser Teil vorbei,
hofft fast jeder Mitmensch eben
insgeheim auf Hälfte zwei.

Für beide Seiten

Ist einer als Verlierer ausgelost,
gewährt man ihm von allen Seiten willig,
wennschon nicht Hilfe, so doch reichlich Trost.
Das wirkt recht philanthropisch.
Und ist billig!

Idiomen

Sei glücklich! Kehre heim an deinen Herd.
So stark bist du wie – sprach mein Arzt –
ein Pferd.
Er irrte ohne Zweifel nicht dabei:
So wie ein Pferd. Kurz vor der Schlächterei.

Lapidarwinistik

Ein Affe sitzt am Wasserfaß
und löffelt ohne Unterlaß
den Bottich bis zum Grunde leer.
Ich schöpfe, ruft er kühn, seht her!

Das Gerücht

Kein Mund ist ihm zu jung, zu alt,
bedeutungslos ist die Gestalt.
Ob Bluejeans, Smoking, Weiberrock,
es findet seinen Sündenbock
und pflanzt sich schließlich, da und dort
an Umfang kräftig wachsend, fort.

Es geht vor allem dann zum Tanz,
fehlt ihm die Basis, die Substanz.
Schon macht es sich im Lande breit.
Denn das Gerücht ist, wie der Kuß,
ein mundgerechter Pfiffikus.

Schön in Trab

Man ist bei seinen Nachbarn um die Ecke
nach langer Zeit mal wieder zu Besuch.
Man weiß es selber nicht, zu welchem Zwecke,
und redet Blech. Das aber wie ein Buch.

Zu jedem Unsinn nickt man höchst verbindlich.
Man gibt charmant Bescheid, wenn wer was fragt,
und kreischt der Sittich, bleibt man
unempfindlich.
Auch dann, wenn er durch alle Zimmer jagt.

Man plaudert mit den dümmlichen Verwandten
des Hausherrn und krault dessen fetten Hund.
Und man hofiert die fiesen Kaffeetanten.
Die aber krault man nicht. Aus gutem Grund.

Dann bricht man auf, weil auch die andern
gehen.
Man sagt: Wir waren grad' so schön in Trab!
Ruft überschwenglich sein Auf Wiedersehen.
Man lächelt, schließt die Tür.
Und schminkt sich ab.

Epitaph

Als einst ein altes Schaf verschied,
schuf man ihm gleich ein Klagelied
in Pianissimo und Moll.
Das Schaf war, hieß es, wundervoll
und zu vergleichen ungefähr
dem Tiger oder auch dem Bär,
dem schönen, schnellen, kühnen Luchs
und nicht zuletzt dem schlauen Fuchs.
Und daß es wie ein Hühnerei
so zart und rein gewesen sei.

Und seither nennt kein Epitaph
ein totes altes Schaf ein Schaf.

Mittel und Zweck

Ein kleines Pflänzchen rankte sich
geschickt durch große Bäume
und wuchs als Bruder Liederlich
in alle freien Räume.

Die Ranke wurde schließlich keck
den Stämmen grüner Kittel
und hielt sich fortan für den Zweck
und jene für das Mittel.

Rühmlich

Ein Mitmensch, wo er stand und saß,
griff er zu seiner Feder
und schrieb und schrieb und schrieb und
schrieb.
Er zog mit Macht vom Leder.

Vom Schlagertext bis zum Roman
trieb ihn sein eitler Schreiberwahn.
Und da er ungelesen blieb,
kam's, daß man ihn auch nicht vergaß.

Ordensbandage

Nicht einer, der so aufrecht stand,
wie jener Hals mit Ordensband.
Und hatte doch, das sei bezeugt,
sich keiner je so oft verbeugt.

Mit Seesack und Pack

Urlaub an der See. Man räumt die Schränke leer.
Und wenn man, was man hat, nicht zeigen müßte,
dann führe man nicht einfach an die Küste,
dann käme man vielleicht auch mal ans Meer.

Ausgleich

Ideen sind das Salz der Kunst.
Hat wer ein Defizit an diesen
und sucht trotzdem der Musen Gunst,
dann schreibt er eben – Expertisen.

Omenschlich

Ein Mitmensch fand, er litte an Symptomen,
die allgemein bewirken, man entschwebt.
Er machte es publik, doch trog das Omen.
Nun schämt er sich zu Tode, weil er lebt.

Glücksschußpech

Jemand schleicht in einer miesen
Stimmung um den Häuserblock.
Quer durch ungemähte Wiesen,
und er … Halt, potz Donnerschock!

Froh läßt er die Blicke schweifen.
Keine Frage, jenes Stück,
viergeteilt und leicht zu greifen,
annonciert auch ihm das Glück.

Er beschließt aus freien Stücken,
ja, ich tu's, verdammt, und Schluß.
Also beugt er seinen Rücken,
um das Kleeblatt abzupflücken.
Und schon hat er – Hexenschuß.

Maskulinerade

Ich bin auf einem Maskenball gewesen,
und anfangs fand ich diesen Trubel nett.
Da stieß ich nämlich, ziemlich dicht
beim Tresen,
schon früh am Abend auf ein flottes Wesen
und hatte sofort einen Stein im Brett.

Ich faßte daher stracks um dessen Lenden
und zog es stramm an meinen Habitus.
Wir liebten uns platonisch mit den Händen.
Weil aber Bälle ohnehin stets enden,
entschieden wir sofort, für uns ist Schluß.

Ich dachte, also auf zur nächsten Runde!
Da nahm es mir die Maske ab, helau,
und sah mich an. Nach einer Schrecksekunde
verzog es sich empört, jedoch im Grunde
ganz ohne Grund. Es war nur keine Frau.

Höhere Weisheit

Ein Mann, vor seinem Spiegel stehend,
betrachtet sich und denkt dabei,
sich froh um alle Achsen drehend,
daß er recht gut erhalten sei.

Erfreut sein Spiegelbild verbuchend,
begibt er sich, erleichtert zwar,
doch noch zum Arzt, Gewißheit suchend,
daß jenes Bild kein Irrtum war.

Doch dieser, jenen Mann betastend,
macht sein bedenklichstes Gesicht.
Des Mannes Puls wird flach und hastend,
als er erfährt, es stimmt was nicht.

Es sind, erklärt der Doktor zaudernd,
die Milz, das Herz, der Ischias.
Der Mann begreift, nach Kräften schaudernd,
ihm fehle also irgendwas.

Erneut in seinen Spiegel blickend,
entschließt er sich, der Arzt hat recht.
Und sich in dessen Urteil schickend,
fühlt er sich auf der Stelle schlecht.

Prüfungsergebnis

Die Prüfung, Freundchen, hast du nicht
bestanden.
Mir ist bis jetzt nicht restlos klar, warum.
In Jahren, die uns aneinanderbanden,
schienst du mir etwas wert. Und nun? Zu dumm!

Ich hätte dich vielleicht noch feilen sollen,
vielleicht auch ließ ich dich zu rasch allein
ins dunkle Labyrinth der Wahrheit rollen?
In dieser Richtung muß es wohl was sein.

Wie dem auch sei, du bist glatt durchgefallen,
du hattest nicht das richtige Format
und bist jetzt doch der tollste Knopf von allen.
Du schwimmst im Geld. Im Fernsprechautomat.

Wenn du an meinem Halse bammelst

Verheiratête-à-tête

Ich werde, Liebling, wenn wir zwei uns küssen
und du mir sagst, wie sehr verliebt wir sind,
noch viele Male überlegen müssen,
wann endlich macht auch mich die Liebe blind?

Sogar wenn du an meinem Halse bammelst,
du liebes, nettes, kleines Leichtgewicht,
und unseriös mit den Gefühlen gammelst,
gelingt mir diese Form der Blindheit nicht.

Zwar möchte ich dich ganz bestimmt
nicht kränken,
nur, weißt du, Liebste, mein Problem genügt,
mich immer wieder von dir abzulenken:
Ich fürchte, daß mich meine Frau betrügt!

Dienst und Gegendienst

Jeder Mitmensch hat im Leben
irgendeine gute Fee,
und wenn Stürme sich erheben,
steht sie Luv, und er steht Lee.

Manchmal aber gibt es Zeiten,
da hat so ein guter Geist
mit sich selber Schwierigkeiten,
wenn er durch die Lüfte reist.

So zum Beispiel hat er Blasen
an den Füßen, ist verschnupft,
machen depressive Phasen
seine Flügel leimbetupft.

Dann hat sein Besitzer Pflichten
rein moralischer Natur,
muß er Gegendienst verrichten,
weil ihm Gutes widerfuhr.

Daher, seht ihr jemand wanken,
läuft ein Mitmensch plötzlich krumm,
trägt er oft nur seinen kranken
guten Geist mit sich herum.

Unterschied

Einmal jährlich hat das Tier,
allerdings im Freien,
in der Regel sein Pläsier
wie der Mensch. Zu zweien.

Selbstverständlich gibt es auch
bei so manchen Tieren
den vermenschlichten Gebrauch,
öfter zu poussieren.

Unterschiedlich bleibt das Ziel
doch selbst dann im ganzen,
denn das Tier tut möglichst viel,
um sich fortzupflanzen.

Lebenswerte

Jemand stand in Dressmankleidung
aufrecht vor dem Kreisgericht
und begehrte Ehescheidung:
Seine Frau, die liebe nicht.

Jedenfalls, so Jemands Klage,
sei ihr alles das nichts wert,
was in jeder Lebenslage
eines Menschen Herz begehrt.

Video und alte Uhren,
Raffgardinen, Nostalgie,
Meißner Porzellanfiguren,
alles das mißachte sie.

Farbfernseher, Boot und Wagen,
kurz gesagt: des Lebens Sinn,
seien sekundäre Fragen
für die Ehebürgerin.

Selbst der Springinsfeld von Setter,
der den noblen Hausstand ziert,
würde schließlich, alle Wetter,
als Symbol nicht akzeptiert.

Sie statt dessen wolle Gören,
doch die würden eins, zwei, drei
spielend jeden Wert zerstören.
Was ein Grund zur Scheidung sei.

Talmigloriole

Ein Mitmensch gilt seit je als bienenfleißig.
Sein Dienst beginnt normal um sieben Uhr.
Er aber kommt bereits um fünf Uhr dreißig,
und abends löscht er stets das Licht im Flur.

Seit Jahren trägt er stolz die Gloriole
derart enormer Dienstbeflissenheit.
Er wurde quasi eines der Symbole
für effektiv genutzte Arbeitszeit.

Betont bescheiden läßt er sich verehren,
hält schicke Reden, spornt Kollegen an
und weiß, er muß es nicht erklären,
warum er seine Frau nicht leiden kann.

Verwandtlung

Verwandte seid ihr? Auch noch ersten Grades?
Wie schön für euch. Und bleibt ihr
Frau und Mann,
dann seid ihr jenes ewig, selbst im Hades.
Doch werdet ihr geschieden, ja, was dann?

Blaue Augen

Sie hat so wunderschöne blaue Augen.
Entweder aber ist sie eine Sphinx,
oder es scheint die Farbe nichts zu taugen.
Denn mal gilt das für rechts und mal für links.

Der Kern der Sache

Der Jüngling hält sich gern an reife Damen.
Er kleistert ihre Fotos in den Spind.
Sein Herz wird weit im Angesicht der Dramen,
in denen diese Frauen Helden sind.

Er schätzt den Vorteil, den die Jahre bieten,
und ignoriert dabei den Zahn der Zeit.
Das Leben aber hält vor allem Nieten
und selten Hauptgewinne griffbereit.

Zum Teil auch deshalb ändern sich die Sitten.
Der Jüngling wird zum Mann. So peu à peu
hat sie den Limes deutlich überschritten.
Man weiß das beiderseits und sagt adieu.

Es folgt sodann die altersgleiche Phase.
Sie endet schnell. Der Mann denkt abgebrüht,
die Liebe ist doch keine Einbahnstraße.
Weshalb er sich um Jüngeres bemüht.

Womit wir schon beim Kern der Sache wären:
Auf diese Weise läßt sich zwar der Hang
des ält'ren Herrn zu jungen Damen klären,
doch unklar bleibt der umgekehrte Drang.

Schirmherrliches

Wir sind uns oft im Sonnenschein begegnet.
Ich wollte schrecklich gern ihr Schirmherr sein.
Sie lächelte und sagte: Wenn es regnet.
Bis dahin aber bleibe ich allein.

Da wünschte ich, ich könnte Regen machen.
Ich stand und sah den blauen Himmel an.
Ich wollte einen Wolkensturm entfachen
und sehnte mich nach jenem Irgendwann.

Der Regen kam. Aus Feuer wurde Asche.
Sie wirkte wie der Tag so grau und blaß.
Ich dachte an den Schirm in meiner Tasche
und ließ ihn dort. Und wurde lieber naß.

Die märchenhafte Ehe

Ich führe eine märchenhafte Ehe.
Seit Jahren. Tag für Tag. Vom Morgen an.
Wenn ich mich müde aus den Federn drehe,
schaut er mir zu, mein märchenhafter Mann.

Und sein Blick sagt: Esel, streck dich,
spiel ein bißchen Tischlein, deck dich.
Oder hast du unterdessen
deine Ehepflicht vergessen?

Sobald er fort ist, wasch' ich seine Hemden
und flimmere die Wohnung. Kaufe ein.
Ich kenne keine Freunde, keine Fremden.
Mir langt mein märchenhafter Mann allein.

Und sein Blick sagt: Esel, streck dich,
spiel ein bißchen Tischlein, deck dich.
Oder hast du unterdessen
deine Ehepflicht vergessen?

Zum Feierabend kommt er dann im Wagen
zurück in sein Revier und setzt sich hin,
nimmt sich die Zeitung, deutet auf den Magen,
den ihm zu füllen ich verpflichtet bin.

Und sein Blick sagt: Esel, streck dich,
spiel ein bißchen Tischlein, deck dich.
Oder hast du unterdessen
deine Ehepflicht vergessen?

Jedoch ich nehme jeden Abend Rache.
Ich halte gnadenloses Strafgericht.
In dem Moment, wo ich die Betten mache,
steht ihm – die nackte Angst im Angesicht.

Doch ich sage: Esel, streck dich.
Jetzt ist Schluß mit Tischlein, deck dich.
Oder hast du unterdessen
jenen dritten Spruch vergessen?

Polarsommerliebe

Komm, wir gehen in den Garten,
sprach er vormittags zu ihr.
Laß uns bis zum Abend warten,
sagte sie, dann folg' ich dir.

Nun, das dünkt nur kurze Weile,
scheint fast wie ein Augenblick,
beinah' wie ein Grund zur Eile
und ist doch – gemeiner Trick.

Denn der Satz, am Pol gesprochen
und im Sommer, heißt doch so:
Warte all die hellen Wochen,
mein geliebter Eskimo.

Beinlicher Ratschlag

Wenn dich die Dame ohne jede Hemmung
sofort mit auf ihr Zimmer nimmt,
dann frage dich mit einiger Beklemmung,
ob an der Sache alles stimmt.

Wenn sie dann sagt, sie wäre so alleine,
ihr wäre, kurz, ein wenig bang,
bedenke, Lügen haben kurze Beine,
zuweilen aber triffst du auch auf eine,
da sind die Beine prachtvoll lang.

Schachmatt

Ich hätte vor, mal gar nichts vorzuhaben.
Ein Soloweekend, nur im Bett,
statt irgendwo im Wald herumzutraben.
Den kenne ich von A bis Z.

Ich hätte vor, in längst vergilbten Briefen
herumzublättern. Blatt für Blatt.
Ich hätte vor, das Großhirn auszumiefen,
zu tun, als wäre ich schachmatt.

Ich hätte vor, mich auszustrecken,
ein Kilo Ohropax im Ohr,
ich hätte zu Erholungszwecken
noch dieses und noch jenes vor.

Ich hätte vor, ich sei zufrieden,
und könnte sagen: Ist geritzt!
Doch leider ist mir's nicht beschieden,
weil sie mein Schlüsselbund besitzt.

Ein Liebesbrief

Ich muß Dir einfach wieder einmal schreiben.
Du wundervolle, schöne kleine Frau
bist drauf und dran, mich restlos aufzureiben,
und ohne Dich ist alles trist und grau.

Ich denke oft an Deine frohen Worte,
mein allerliebstes, zartes Mäusilein.
Sie sind mir stets, piano oder forte,
ein sanfter Hauch des Meeres, Sonnenschein.

Du bist die Rose, die kein Sturm entblättert,
Du duftest selbst im klaftertiefen Schnee.
Ich habe mich total in Dir verheddert,
bist Du nicht da, erfaßt mich tiefes Weh.

Ich liebe Dich von Neujahr bis Silvester …
Doch stop! Da kommt wer! Also schnellstens Schluß,
denn ziemlich sicher ist es Deine Schwester.
Drum rasch noch einen schwägerlichen Kuß.

Ungleiches Paar

Ein Pärchen im Grase. Auf jedes Gramm Haut
schien Sonne und machte es trunken.
Der Jüngling und seine schon ältere Braut
erlagen, zu Boden gesunken.

Dort brachen die beiden vereint Stück um Stück
die letzten sie scheidenden Schranken.
Sie sprachen dabei vom gemeinsamen Glück
und hatten – getrennte Gedanken.

Gewisse schöne Frauen

Es ist ein Drama mit gewissen Frauen.
Nie ist sich eine einmal schön genug.
Und wenn sie Stunden in den Spiegel schauen
und sich dabei ihr Äußeres versauen,
dann werde einer noch aus ihnen klug.

Man kann und will es einfach nicht begreifen,
sie kämpfen eisern gegen die Natur,
um sich auf jeden Fall zurechtzuschleifen,
und langen dabei nach den schärfsten Seifen,
nach Säuren, Laugen und zur Hungerkur.

Sie halten die Tortur für unerläßlich,
vorausgesetzt, die andern tun es auch.
Was irgendwie modern ist, das ist päßlich.
Sie werden wie ein Mannequin so häßlich
und schmiegsam wie ein alter Gartenschlauch.

Und haben sie sich dann total verbogen,
bedecken sie die Trümmer mit Chemie.
Sogar, was fehlt, wird farbig nachgezogen,
und was betrügbar ist, das wird betrogen.
Ihr Pech: Der Personalausweis trügt nie!

Reisebekanntschaft

Sie saß mir gegenüber, und ich dachte,
verdammt noch mal, ist das ein hübsches Kind.
Und ob sie ernst war oder ob sie lachte,
selbst wenn sie einfach überhaupt nichts machte,
ich sah nur sie. Ansonsten war ich blind.

Ihr blauer Blick ließ ziemlich alles offen,
was so ein Blick noch offenlassen kann.
Ich hatte meine Wahl sofort getroffen
und sagte mir: Mein Junge, nicht bloß hoffen,
zusammenreißen! Und ich sprach sie an.

Sie hob betörend die getuschten Lider
und öffnete den wohlgeformten Mund.
Nur leider schloß sie diesen dann nicht wieder.
Die schöne Zunge wippte auf und nieder.
Sie lärmte mir die Trommelfelle wund.

O hätte ich doch weiterhin geschwiegen.
Nun traf mich die Erkenntnis vor den Bug,
daß dumm und schön nicht nur bei Rasseziegen
fatalerweise dicht beisammenliegen.
Entnervt, verzweifelt sprang ich aus dem Zug.

Kannst du einen Knüppel schwingen

Offerte

Jemand wollte einem zweiten
unbedingt Verdruß bereiten.
Also sann er auf die Mittel.
Gut geeignet schien ein Knittel.
Darum wählte er sich diesen,
um den andern aufzuspießen.
Doch indes er jenen schwenkte
und dann kräftig niedersenkte,
brach der Stock – lag's an der Eile,
lag's am Holze? – in zwei Teile.
Immerhin, vom Krach, vom Splittern
kam der zweite Mensch ins Zittern
und erhob sofort die Hände.
Das Ergebnis ist Legende:
Kannst du einen Knüppel schwingen,
wird dir, was du willst, gelingen,
denn man sieht zwar die Offerte,
doch wer prüft denn schon die Härte?

Der Philanthrop

Hoch oben auf dem Berge stand ein Sessel.
Ein Mitmensch stand im Tal und sah ihn an.
Was für ein Ziel! Und aus des Tales Kessel
stieg er den schweren steilen Pfad bergan.

Man sah ihn stolpern, sich erheben, schwitzen.
Die Schwierigkeiten türmten sich zuhauf.
Doch um zuletzt recht angenehm zu sitzen,
nahm er das Unbequeme gern in Kauf.

Nun saß er da, wo auch schon andre waren.
Die Mühen aber wollte er partout
für alle Zukunft jedermann ersparen:
Er schüttete den Weg mit Steinen zu.

Fußballoberligamentum

Ich habe meinen besten Freund geschlagen,
nun hängt sein starkes rechtes Bein im Streck,
nun liegt ein Scheffel Eis auf seinem Magen,
sein Körper ist ein großer blauer Fleck.

Mir schmerzt zwar auch die linke Hinterseite,
denn als er fiel, trat er mich in den Steiß.
Der Bluterguß, in Höhe und in Breite,
ist mächtig wie das Euter einer Geiß.

Doch ich bin stärker als mein Freund gewesen!
Kann sein, daß er mich später einmal schafft.
Inzwischen mag er Taktikbücher lesen,
er wird ja schließlich irgendwann genesen,
mein Kumpel aus der Nationalmannschaft.

Petition eines Knaben

Es kommt schon mal mit vor, daß ich vergesse,
was man als Kind noch nicht vergessen darf,
zum Beispiel, daß ich ungewaschen esse.
Sofort wird dann mein großer Bruder scharf.

Er reißt mich ratzebutz von meinem Hocker
zum infernalisch kalten Wasserstrahl
und bürstet meine Staubpigmente locker.
Ganz nebenbei verhaut er mich auch mal.

Für ihn sind Hände nichts als Feuerwaffen.
Von ihnen macht er – siehe vorn – Gebrauch.
Er haut mich bunt wie einen Zirkusaffen,
und Pestalozzi ist nur Schall und Rauch.

Noch schlägt mich also, wenn er will,
mein Bruder,
denn er ist groß, und ich bin ziemlich klein.
Ich wünschte, man entzöge diesem Luder
auf unbegrenzte Zeit den Waffenschein.

Platzängste

Jemand schlägt, taromtarommel,
im Orchester auf die Trommel.
Doch er steht mit seinen Gaben
hinten im Orchestergraben,
während Dirigent und Geigen
vorn sich in persona zeigen.
Deshalb trommelt er verdrossen
rückwärts der Kapellgenossen.
Und in seinem Hirn entstehen
Träume, dies Geschick zu drehen,
vor den Quinten und Septimen
einmal selbst den Chef zu mimen,
einmal diese Band zu lenken
durch brillantes Stöckeschwenken.
Also tritt er eines Tages,
müde seines Trommelschlages
auf die subalternen Felle,
an des Dirigenten Stelle,
hebt die ihm gewohnten Schlegel
über der Geräusche Pegel,
ruft: Jetzt gilt des Trommlers Wille!
und erzeugt – perfekte Stille.
Jemand merkt, obzwar er leidet,
daß der Platz noch nichts entscheidet.
Künftig wird er's denen gönnen,
Chef zu sein, die's wirklich können.

Sublim

Komplimente sind wie Rosen.
Keiner, der sie nicht begehrt.
Selbst in allerkleinsten Dosen,
wer sie kriegt, fühlt sich geehrt.

Jemand war es, der das dachte,
und er führte es auch aus.
Jeden seiner Sätze machte
er sublim zum Ohrenschmaus.

Kam ein Mitmensch in sein Zimmer,
hat sich Jemand nie geziert,
wurde der Besucher immer
gleich hinauskomplimentiert.

Beredt

Der Mitmensch spricht, sobald er es nur kann,
sehr gerne, laut und oft. Indessen
versucht er, klug geworden, später dann
das Reden wieder zu vergessen.

Tickets

Wenn ich zu neuen Horizonten starte,
verriet ein Mitmensch, dann fast immer so:
Ich rede öffentlich vom Risiko
und löse heimlich eine Rückfahrkarte.

Rachitis

Ein Mitmensch wurde ungeniert
von einem zweiten kritisiert.
Doch nach dem Motto Zahn um Zahn
schuf jener einen Racheplan.

Indem er heimlich sein Gebiß
bei diesem auf den Schreibtisch schmiß,
schien ihm die Ordnung in der Welt
vortrefflich wiederhergestellt.

Entwicklung

Jemand hatte zwar als Knabe
Sinn für die Gerechtigkeit,
doch verlor er diese Gabe
bald nach seiner Burschenzeit.

Früher stark, gerecht und milde,
gibt sich Jemand heute kalt,
ausgekocht und stets im Bilde,
kurz, jetzt ist er Rechtsanwalt.

Relativitätspraxis

Man nenne ihn
erst Harlekin
und Tunichtgut,
ein leichtes Blut,
Opportunist,
auch Karrierist,
und nichts geschieht,
was Blasen zieht.
Doch sagt man dann
zu jenem Mann:
Du Dummkopf, du!,
schon schlägt er zu.

Pfeifen

Ein Mitmensch glaubt, er könne Niederlagen
um keinen Preis der Welt ertragen.
Und wirklich tritt er nirgendwann
aus diesem Grund zum Kampfe an.
Erfahrungen? O nein, er pfeift auf sie.
Wobei die Lippen zittern. Wie die Knie.

Radarum

Jemand ist ein Außenseiter,
der den Sonnenschein nicht mag.
Recht von Herzen froh und heiter
macht ihn nur ein Regentag.

Kaum daß sich die Wolken zeigen,
sieht man Jemand frohgemut
seinen Untersatz besteigen,
und dann prescht er durch die Flut.

Hei, er rädert Rassekatzen,
kleine Hunde fährt er tot,
nichts kann ihm die Lust vergnatzen,
und er fährt bei Gelb und Rot.

Um die Sache kurz zu machen,
Regen mindert die Gefahr.
Jemand rast mit hundert Sachen
in der Stadt durch Wasserlachen
und ist sicher. Vor Radar.

Knockout

Er war ein guter Mensch, der Boxer Hammer,
Beleg, daß Kraft sich oft mit Güte eint.
Und wenn er zuschlug, packte ihn der Jammer.
Nicht selten hat er einen Sieg beweint.

Er war ein guter Mensch und blieb bescheiden,
obwohl er nur höchst selten unterlag.
Die meisten Leute mochten Hammer leiden.
Man weiß, wie selten man den Sieger mag!

Er war ein guter Boxer. Nur zu offen.
Nun liegt er folgerichtig hingestreckt,
es hat ihn haargenau am Punkt getroffen.
Er war ein guter Mensch. Doch schlecht gedeckt.

Lebenslauf

Ein Mitmensch, jung an Lebensjahren,
spielt froh im Sand – um zu erfahren,
daß irgendwer die Arme winkelt
und ihm auf seine Sandburg pinkelt.

Auf solche Art belehrt, verläßt
er seiner Kindheit feuchten Rest.
Und wird fortan in allen Winkeln
auf andrer Leute Burgen pinkeln.

Bissiges

Wenn nachts im Zoo die zahmen Löwen brüllen
und wenn der Uhu seine Mäuse fängt,
wenn Mückenschwärme sich die Bäuche füllen
und wenn der Bock die Gärtnerin bedrängt,
beginnt so mancher Mitmensch schwer zu
grübeln,
dann geht er mit dem Leben ins Gericht.
Er stellt sich zwischen Dulden und Verübeln,
zu einem Standpunkt aber kommt er nicht.
Er wühlt den müden Kopf in seine Kissen
und wüßte gern, warum wohl alles beißt.
Zuletzt stößt er aufs eigene Gewissen,
und ihm fällt auf, das hat noch nie gebissen.
Und siehe da, schon wird er wieder dreist.

Nirgends steht ein Kasten Bier …

Jemand liegt bei Sommerhitze
urlaubsreif am Sonnenstrand
von Ixypsilonowice,
mümmelnd: Ach, du Heimatland.

Denn durch seine Sonnenbrille
sieht er, alle liegen flach,
wohlgeordnet. Auch die Stille
stört ihn. Jemand liebt den Krach.

Keiner ist ganz ausgezogen,
nirgends steht ein Kasten Bier …
Plötzlich, aus den Meereswogen,
tönt ein deutscher Kehllaut: Hieer!

Wie ein Echo, hundert Stimmen!
Sächsisch, Preußisch und auch Platt.
Ein Kommando, alle schwimmen.
Klipp und klar und kein Anstatt.

Jemand springt auf seine Beine,
und er johlt, ganz wie zu Haus.
Endlich Lärm! Nicht mehr alleine!
Nun hält er die Fremde aus.

Unverfroren

Es heißt, er pfiffe unverfroren
auf jedes noch so hohe Tier,
sei es nun eben erst geboren
oder schon länger im Revier.

Es heißt, er krieche nie zu Kreuze,
und immer sei er vorne dran.
Wenn sich ein großes Tier nur schneuze,
schon stimme er sein – Loblied an.

Sekret

Jemand hatte seine Tugend:
Er schlug Nägel in die Wand.
Sich dazu stets selbst befugend,
ging er jedermann zur Hand.

Anfangs schwang er seinen Hammer
nur im eigenen Geviert,
später hat er manche Kammer
in manch fremdem Haus verziert.

Jemand wurde ein Wandale,
wenn das Wort gestattet ist,
ob im Freien, ob im Saale,
war er Nagelfetischist.

Wie man sieht, er hatte Praxis,
und er wurde als expert
schon sehr bald durch die Galaxis
hin- und wieder hergezerrt.

Da bemerkte wer entgeistert,
daß er all das früh und spät
mit zwei linken Händen meistert.
Doch schon hieß es: Streng sekret!

Vergessen

Am Fall des Weckers läßt es sich ermessen,
wie leicht wir uns und andere vergessen.
Obzwar wir selber ihn zu läuten heißen,
sobald er's tut, ist unser Wunsch:
Zerschmeißen!

Vor den Preis ...

Ein Mitmensch. Einst erhielt er einen Preis.
Doch aus dem Munde seiner Spötter
erklang es: Ein Geschenk der Götter!
Verleumdung – er verdankt ihn seinem Steiß.

Gebissig

Stieß er auf eine Schwierigkeit,
dann rief er: Nein, ich will nicht schweigen!
Ich werde jetzt und alle Zeit
dem Hindernis die Zähne zeigen.

So stand er bald in gutem Ruf,
weil, wenn er irgendwo entdeckte,
daß irgendwer ein Hemmnis schuf,
er klappernd seine Zähne bleckte.

Doch unterdessen kam ans Licht,
was imposant schien, waren Faxen.
Denn diese Zähne waren nicht
in seinem großen Maul gewachsen.

Menschlich gedacht

Selbsteinschätzung

Ich bin, so sprach einst eine Kuh
zur andern, besser dran als du.
Das Vieh hielt sich für heilig.
Dann schwang sie sich sehr eilig
in ihre rosa Wolken
und wurde dort – gemolken.
Begeistert muhte da das Tier:
Sieh an, sogar der Mensch dient mir!

Menschlich gedacht

Ein Hund stand, weit von seiner Hütte,
als Wächter vor der Haferschütte,
und er vertrieb in jedem Fall
die Pferde knurrend aus dem Stall.

Warum der Hund am Hafer wachte?
Nun, einfach weil er menschlich dachte:
Was man nicht selber fressen kann.
das steht auch keinem andern an.

Made in Speck

Der Fuchs fängt emsig Mäuse,
der Löwe jagt das Gnu,
der Desinfektor Läuse.
Und du, sag, was machst du?

So fragte man die Made.
Ich mache, sprach die keck,
stets alle fünfe grade.
Und saß bequem im Speck.

Vogelfrei

Ein Vöglein hockte voller Trauer
beim Vogelfänger, und sein Schrei
durchzitterte das Vogelbauer:
Gefangen bin ich, vogelfrei!

Verzweifelt klagte es drum allen,
sooft es konnte, seine Not
und bat: Oh, öffnet eure Fallen.
Umsonst. Es blieb beim Flugverbot.

So ging das über viele Wochen.
Der Fänger dachte listig: Bald
ist Vögleins Widerstand gebrochen,
bald will es nicht mehr in den Wald.

Dann wird es sicher überlegen:
Ich bin gefangen, bitte sehr,
doch habe ich nicht dessentwegen
auch keine Alltagssorgen mehr?

Und richtig hatte unterdessen
der Vogel sich schon umgestellt.
Die Freiheit hatte er vergessen,
er sang beim Saufen und beim Fressen
die Hymne seiner neuen Welt.

Späte Erkenntnis

Ein Nylonfaden wollte kein
vulgäres Näh- und Stopfgarn sein.
Er wollte in die Strumpffabrik,
den Damenstrumpf als Ziel im Blick.
So träumte denn der Faden, bis
er plötzlich auseinanderriß.
Man hat ihn daraufhin direkt
in einen Abfallkorb gesteckt.
Dort merkte er, Gerissenheit
führt offenbar nicht immer weit.

Märchen

Einst sprach die Eule zum Löwen:
Beim Rauschen
des Blätterwaldes, jetzt wollen wir tauschen.
Von nun an bin ich in unserm Reviere
alleiniger König der fröhlichen Tiere
und schwinge das Zepter nach eigener Lust!
So sprach sie und schlug sich mokant
an die Brust.

Jedoch dieser Schlag an das Eulenbrustbein
bekam ihr durchaus nicht. Und bald ging sie ein.
Sie wurde von Füchsen, von Igeln und Raben
auf unehrerbietige Weise begraben.
Und nun herrscht der Löwe im Wald. Wie zuvor.
Nur mit einer Feder der Eule am Ohr.

Perdu

Ein kleines weißes Rasselämmchen
stahl sich aus seinem Elternhaus
und lief zum nächsten Straßendämmchen.
Es wollte in die Welt hinaus.

Da stand es nun, und all sein Sehnen
galt einem Ziel, dabeizusein.
Tief sog es unter Freudentränen
das zwanzigste Jahrhundert ein.

Von rechts und links, von allen Seiten,
in Glas und Chrom, quoll es ihm zu.
Das Lämmchen jauchzte: Welche Zeiten!
Nicht lange, und wir sind per du.

Da aber ging's ihm schon ans Leben.
Ein Auto nahm es ihm. Tatü.
Es dachte traurig beim Entschweben,
noch nicht per du und schon perdu.

Ochsenballade

Ein Ochse graste friedlich auf der Weide.
Ein zweiter Ochse fraß gleich nebenan.
Der fand den Futterplatz zu eng für beide,
weshalb er einen derben Streit begann.

Der zweite stieß den ersten in die Flanken
und schlug mit seinen Hufen rücklings aus,
im Kopf nur einen einzigen Gedanken:
Verdammter Konkurrent, scher dich hinaus!

Sie kämpften unerbittlich hin und wider.
Natürlich wich der erste nicht vom Fleck.
Die beiden Ochsen latschten alles nieder.
Nun stecken sie gemeinsam tief im Dreck.

Hochmutwillig

Vergessen und verachtet stand
ein Pflänzchen blaß am Straßenrand
und fand sich eines Tags erschreckt
zu allem auch noch lausbedeckt,
weshalb das Pflänzchen voller Scham
zu purpurroten Blättern kam.
Kaum aber ward es nun gewahr,
wie attraktiv es dadurch war,
trieb es aus seinem Blätterhaus
die Läuse voller Hochmut aus.
Die Schönheit sollte blank und rein
und ohne jeden Makel sein.
Die Blattlausscharen flohen, und
sofort entfiel zur Scham der Grund,
wodurch das schöne Rot verschwand.
Nun steht es wieder blaß im Sand.

List

Man hat die Henne, scheint es, zu beklagen.
Das arme Tier ist praktisch niemals frei,
und selbst an allerhöchsten Feiertagen
erzeugt es ohne Widerspruch sein Ei.

Doch wenn man sich den Fall genau betrachtet,
wird offenbar, die Henne greift zur List.
Wer Eier legt, wird nämlich nicht geschlachtet,
was schließlich auch nicht zu verachten ist.

... fährt er auch für
den Betrieb
OD 07-11

Perfekt

Jemand ist perfekter Butler,
Gärtnerbursche z. b. V.,
Klempner, Schlosser, Autosattler,
Sitter für den Haus-Chow-Chow.

Jemand ist der Milchbesorger,
Jemand holt das frische Brot,
manchmal ist er Geldverborger,
Anker und diskretes Lot.

Jemand ist wie eine Amme.
Braucht man Kälte, ist er Eis,
braucht man Feuer, ist er Flamme.
Was er tut, tut er mit Fleiß.

Jemand hütet auch die Kinder,
wartet vor der Nachttanzbar.
Mal im Sweater, mal mit Binder
dient er durchs Kalenderjahr.

Jemand schafft bei gutem Wetter
die Familie an die See.
Onkel, Tante, Nichte, Vetter
holt und bringt er zum Kaffee.

Nein, da gibt es nichts zu sagen:
Fahrer Jemand, der ist lieb.
Braucht der Chef mal keinen Wagen,
fährt er auch für den Betrieb.

Schonungs-Los

Sie kennen Jemand nicht? Wie schade!
Denn Jemand ist ein Mensch, der brennt.
Sein Tatendrang ist nachgerade
avantgardistisch virulent.
Ein Mensch mit Zukunftsambitionen,
mit einem Ziel, wofür er schwitzt,
ein Mensch, der, ohne sich zu schonen,
tagtäglich – in der Sauna sitzt.

Lösungsmittel

Noch ist der Titel »Held der Arbeit« selten.
Wer aber wollte wen deswegen schelten?
Sollt's anders sein, man müßte nur daneben
den Titel »Held der Nacharbeit« vergeben.

Ablieferung

Man rief ihn auf: Nur Qualitätsarbeit!
Der Mitmensch sprach genüßlich: Kleinigkeit.
Nichts, was mich stärker in den Fingern juckt!
Die aber gab er längst für sein Produkt.

Jämmerlich

Ein Speichellecker, ewig hingesunken
auf beide Knie vor seinem Chef,
verstand das Fach aus dem Effeff
– und ist doch jämmerlich daran ertrunken.

Monolog eines Pförtners

Mein Klassenstandpunkt ist die Pförtnerbude,
ein bißchen wacklig und ein bißchen morsch.
Ich hüte Schlüsselbrett und Feuertute.
Und mach' ich Fehler, mache ich sie forsch.
Ich sitze meinen Mann in jeder Schicht.
Als Pförtner bin ich typisch.
Pflicht ist Pflicht.

Der Schlagbaum, der ist meine Barrikade.
Ich sorge, daß er immer senkrecht steht.
Vor meinem Fenster ist en suite Parade.
Wer kommt, der kommt. Wer gehen will,
der geht.
Ich sitze meinen Mann in jeder Schicht.
Als Pförtner bin ich typisch.
Pflicht ist Pflicht.

In mir ist revolutionäres Feuer.
Auf Rohbraunkohlebasis, doch es glimmt.
Vertrauen und Bewußtsein sind mir teuer.
Wer geben will, der gibt. Wer nimmt, der nimmt.
Ich sitze meinen Mann in jeder Schicht.
Als Pförtner bin ich typisch.
Pflicht ist Pflicht.

Ich bin wie jener Held von Heinrich Heine:
Verlorner Posten – den ihr alle kennt.
Der Kerl tat seine Pflicht, und ich tu meine.
Ich bin der Mann, der wacht, selbst wenn
er pennt.
Ich sitze meinen Mann in jeder Schicht.
Als Pförtner bin ich typisch. Oder nicht?

Subalternative

1
Mir haben seine Reden nie gefallen.
Kein Einfall, den er nicht total verspielt.
Was Wunder, daß sie echolos verhallen.
Wie oft war ich enttäuscht, wenn ich –
sie hielt.

2
Mir haben seine Reden nie gefallen.
Das stärkste Wort, von ihm gebraucht, verblaßt.
Er schläfert ein, wo sonst die Korken knallen.
Ich weiß das, denn ich habe – sie verfaßt.

Verlassen

Wir wollten früher nie so recht begreifen,
wenn jemand sagte, euer Laden stinkt.
Dem hohen Roß läßt man die Zügel schleifen
und wundert sich, wenn es dann jählings hinkt.

Jetzt freilich sind wir uns durchaus im klaren,
ein feister Wurm steckt längst im Kollektiv.
Vermutlich frißt er sich seit vielen Jahren
durch den uns bisher unbekannten Mief.

Nun heißt es plötzlich, Jemand sei kein Leiter,
er halte ungebührlich auf Distanz,
sei ziemlich faul und dämlich und so weiter,
er kämpfe nicht, und wenn, dann um Balance.

Punktum. Jetzt quillt die Bosheit aus den
Löchern,
jetzt feiert man ein wildes Schützenfest
und holt die schärfsten Pfeile aus den Köchern,
weil Jemand nämlich – den Betrieb verläßt.

Negation der Negationen

Der ewig unscheinbare Meier
war Gegenstand der kleinen Feier,
die gestern stattgefunden hat.
Wir waren platt.

Noch nie zuvor in seinem Leben
ward Meiern je ein Fest gegeben,
nie stand der Meier im Bericht.
Nein, Meier nicht.

Bei Prämien, Titeln oder Orden
war Meier stets vergessen worden,
nein, Meier wurde nicht bedacht.
Er war zu sacht.

Das ist mit einem Schlag verändert.
Nun ist auch er beordensbändert.
Dafür, daß er es Jahr um Jahr
noch niemals war.

Mutprobe

Mir war, als müßte ich ins Eismeer springen,
als ritte ich auf einem wilden Pferd,
als sollte ich in einer Oper singen,
mir war, als briete ich auf einem Herd.

Und dennoch war ich recht von mir begeistert.
Ich hatte einen Kraftakt absolviert,
ihn zwar verloren, doch mich selbst gemeistert.
Ich hatte meinen Leiter kritisiert.

Motiefgang

Ein Mitmensch – für sehr großen Fleiß
erhielt er einstmals einen Preis.
Den trug er auf die Bank, und dann
griff er ein neues Fernziel an.
Er investierte Schöpferkraft,
und Jahre später war's geschafft.
Und wie! Denn diesmal schien's genial,
was er erschuf. Wie ein Fanal
für hochmodernes Schöpfertum.

Was folgte, war nicht nur der Ruhm!
Der Mitmensch, für besagten Fleiß,
erhielt schon wieder einen Preis.
Den trug er auf die ... Und so fort.
Er gab dafür sein Ehrenwort,
fortan, ganz ohne je zu ruh'n,
noch mehr, noch Besseres zu tun.
Und sein Motiv für diesen Fleiß?
Der winkende konstante Preis!

Schriftverkehrtes

Ich würd' dir gern ein Epos schreiben,
jedoch ich komme nicht dazu.
Die Dinge, die das hintertreiben,
mein liebes Kind, die kennst auch du.

Gewiß, ich fülle viele Seiten
und kaufe nach wie vor Papier.
Verzeih! Und denk dran, es gab Zeiten,
da schickte ich dann alles dir.

Jetzt aber … Nun, der Mensch muß leben
und kauft dafür, was es auch sei.
Nicht nur Papier, er braucht daneben
bekanntlich noch so allerlei.

Da aber liegt der Has' im Pfeffer.
Gerade das zwingt mich zum Schluß
– weil ich fast jeden Einkaufstreffer
gleich schriftlich reklamieren muß.

Nach $8^{3}/_{4}$ Stunden

Jeden Morgen sechs Uhr dreißig
stellt Herr Jemand sich ans Band.
Müde feilt er, nicht sehr fleißig,
seinen Arbeitsgegenstand.

Und sogleich, weil er zu Hause
morgens nie das Frühstück schafft,
macht er eine große Pause
und erhöht die Arbeitskraft.

Wenig später, ohne Eile,
kehrt er an das Band zurück,
greift bedachtsam nach der Feile
und feilt neuerdings ein Stück.

Doch da ruft schon die Kantine,
wo sein Mittagessen steht.
Daher stoppt er die Maschine.
Kinder, wie die Zeit vergeht.

An der warmen Futterkrippe
plaudert er ein Stündchen lang,
pafft danach noch eine Kippe
vor dem letzten Arbeitsgang.

Dann, nach achtdreiviertel Stunden,
eilt er frisch und voller Mumm
flugs zu den privaten Kunden.
Und dort buckelt er sich krumm.

Zwischendurch

Ein Mitmensch, interviewt um seine Pflichten,
erklärte: Gott, ich habe zu berichten!
Und zwischen dem Stunden- und Tagesbericht,
dem Wochenbericht und dem Monatsbericht,
dem für das Quartal und dem Jahresbericht
muß ich den Rest meiner Arbeit verrichten.

Kompensation

Ein Mitmensch, träge, schlaff, bequem,
ein Produktivitätsproblem
und Hemmschuh für den Wettbewerb,
las neulich ein Finaladverb
im Aufsatzheft bei seinem Sproß.
»Dafür« stand da. Und schon beschloß
besagter Mitmensch innerlich,
das ist das rechte Wort für mich.
Es liefert mir mein Alibi.
Ich bin zwar träge, schlaff, bequem,
ein Produktivitätsproblem
und Hemmschuh für den Wettbewerb,
doch wichtig scheint mir irgendwie,
ich spare – dafür – Energie!

Zugluft

Ein Leiter lag der Welt im Ohr,
er zöge niemals jemand vor.
Verwandte oder Freunde? Nein,
er hätte objektiv zu sein.
Der Leiter hielt, was er versprach.
Ja, mehr noch. Denn er zog sie – nach.

Doch was, wenn die Sirene brennt

Ernstfall

Ein Feuer, bricht es aus, sodann
heißt Regel eins: Signalhorn an!
Schon ist die Feuerwehr präsent.
Doch was, wenn die Sirene brennt?

Ohne Netz

Von allen Mitteln, die zum Ziele führen,
scheint mir der Fallschirm noch das beste
Stück.
Denn hängt man erst einmal in seinen Schnüren,
dann gibt's kein Halt und keinen Weg zurück.

Festgewandeltes

Das sollte endlich irgendwer ersinnen:
Ein Fest, das endet, ehe wir's beginnen,
bei dem die letzten Gäste früher gehen,
als noch die ersten vor der Türe stehen.

Eiertagsgedanken

Die Nützlichkeit des Huhnes ist erwiesen.
Fast jeder Mensch schlürft gerne mal ein Ei.
Das gilt von Mecklenburg bis Dresden-Striesen,
und im November gilt das wie im Mai.

Wem aber nützt der Hahn? In Hühnerställen
besorgt das Wichtigste ein Apparat.
Das Huhn empfindet das als sehr reellen,
weil auch profunden Dienst am Hühnerstaat.

Und für die Menschheit? Er ist nicht vonnöten!
Uns stört sogar sein Weckruf auf dem Mist.
Man könnte schlechterdings die Hähne töten,
weil nur der Wecker regulierbar ist.

Mit diesen Zeilen wäre es bewiesen:
Die stolze Zeit der Hähne ist vorbei.
Das gilt von Mecklenburg bis Dresden-Striesen,
und im November gilt das wie im Mai.

Eine Art Requiem

Seit zwanzig Jahren war sie ohne Pause
im Dunst des Wartesaals am Bahnsteig acht,
zuweilen auch am Bahnsteig sechs zu Hause
und hatte faktisch keine freie Nacht.

Legionen Hände hielten sie umfangen,
teils routiniert und teils mit großer Lust.
Die kleinen Dicken und die dürren Langen
ergriffen sie und nahmen sie zur Brust.

Sie bot sich kalt und heiß. Als Gift und Zauber.
Wenn sie sich gab, dann stets für kurze Zeit.
Nie war sie schön, und selten war sie sauber.
Sie stand en suite auf Abruf. Dienstbereit.

Sie war ihr Leben lang in fremden Händen.
Was also kommen mußte, ist passiert:
Ein Sturz ließ ihre öde Laufbahn enden.
Sie wurde von zwei rohen Männerhänden
als – Bahnhofskaffeetasse abserviert

Leiden schafft Verstand

Jemand sieht am Waldessaum
einen ihm noch fremden Baum.
Wie ein Indianerspäher
pirscht sich Jemand sofort näher
an das Zielobjekt heran,
daß er es erkennen kann.

Alsbald prüft er Stamm und Rinde
und entscheidet: Keine Linde.
Auch ein Ahorn ist das nicht!
Was er folgert, hat Gewicht,
denn zu den entfernten Zweigen
fängt er an hinaufzusteigen.

Da verletzt ein grober Splitter
seinen Fuß, und das schmerzt bitter.
Mißgestimmt hält Jemand ein.
Wipfelwärts auf einem Bein?
Leidend steigt er wieder tiefer.
Nunmehr wissend: Latschenkiefer!

Juckreiz

Wenn die Vögel südwärts fliegen,
möchte mancher Durchschnittsfloh
seinen Körperbau besiegen
und an Palmenstränden liegen.
Gratis und inkognito.

Also kriecht er ins Gefieder
und fliegt mit bis Afrika.
Doch die Vögel kommen wieder,
und man spürt es unterm Mieder,
auch der Floh ist wieder da.

Säuerung

Ein Kohlkopf wuchs am Bahndamm und
besah sich just die Gegend.
Von Herzen froh und kerngesund,
fand er sie sehr erregend.

Doch dann kam da ein Mensch vorbei
und stellte kluge Fragen,
zum Beispiel, ob er einsam sei,
und wenn, an welchen Tagen.

Und ob er nicht ein Weißkrautfeld
als Ziel ins Auge fasse,
weil man als Kraut doch nicht ums Geld
an einen Bahndamm passe.

Befand der Kohl sich bislang wohl,
nun war's um ihn geschehen.
Man kann ihn jetzt als Sauerkohl
im Laden wiedersehen.

Klein, aber oho

Es sind von allen Tieren
am schrecklichsten die Viren.
Sie flattern hin und wieder
am Körper auf und nieder,
um an diversen Stellen
die Zellen zu entstellen.
Mit schmerzenden Antennen
beginnt man zu erkennen,
daß oft recht kleine Sachen
uns schwer zu schaffen machen.

Angeber

Ein Turmhelm war zu seinem Pech
aus ganz vulgärem Eisenblech
und daher niedern Standes
im Turmklassement des Landes.

Doch kam er dadurch nie in Not,
auch simpler Rost ist schließlich rot
und schmückt die Silhouetten
von sehr berühmten Städten.

Jüngst aber fand ein Nagelschmied,
es dürfe doch wohl ein Oxid
nicht einfach kupfern blinken.
Und ging, es zu – verzinken!

Gemeinsam

Jemand fuhr auf Rallyeweise
mit dem Moped Richtung Tann.
Gleichfalls viel an dieser Reise
lag der Sozia. Aber dann
lag auch etwas auf der Weide:
ein zum Teil bemooster Stein.
Und nun liegen sie zwar beide
– aber in der Klinik ein.

Begegnung

Ein Neubaublock stand grau und nackt und pur
inmitten ehemaliger Natur.
Ein Mensch aus dem Paläolithikum
ging irritiert um ihn herum.
Das also ist, sprach er verwundert,
der Höhlenbau im zwanzigsten Jahrhundert!
Die Höhlen stehen streng im Glied,
das ist der ganze Unterschied.
Darauf der Klotz: Da ist noch einer.
Sie sind vor allen Dingen kleiner.

Wässerchen

Der Wasserfall ist zu beneiden,
er ist beschwingter als der Fluß,
er ist der Schönere von beiden.
Ein fotogener Wasserguß.

Wie nüchtern ist das Meer dagegen;
bei Flaute ist es platt und still,
und auch der allerstärkste Regen
rauscht nur, wenn es das Wetter will.

Was bieten Teiche und was Bäche,
was offeriert uns schon ein See,
zu guter Letzt der Quell? Nur Schwäche!
Sie murmeln kraftlos ihr Ade.

Der Wasserfall jedoch ist kesser.
Man spürt sofort, wenn man ihm lauscht,
er ist das herrlichste Gewässer,
denn er ist permanent berauscht.

Lückenhaft

Der Sport besteht aus Wasserspringen,
aus Übungsleitern und Tartan,
aus Bodenturnen, Freistilringen,
Motorradrennen, Aschenbahn.

Zum Sport gehören Olympiaden,
Verletzungen und Feldverweis,
gehören Tanzen, Skeet und Baden,
auch Handball, Fußball, Ehrenpreis.

Der Sport gestattet Stoßen, Drücken,
man kämpft direkt, und man kämpft fern.
Doch selbst der Sport hat seine Lücken:
Noch fehlt der Paarlauf für die Herr'n.

Zu Füßen der Kunst

Ein grauer Sockel mit zwei greulich fetten,
arg ramponierten grauen Statuetten
verstreute imitierten Ruch von Kunst
ins graue Häusermeer, und alle Gunst
der Leute flog im grauen Nu
den grauen, traurigen Gestalten zu.
Die junge Birke aber zwischen beiden,
die mochte kein Betrachter leiden.
Sie sei, da sie als Unkraut wuchs,
nur eine Form des Kunstbetrugs.
Da stand sie nun zu jenes Paares Füßen
und mußte für ihr grünes Dasein büßen.

Pirouetten

Zwei Mücken konnten sehr gediegen
die schönsten Pirouetten fliegen,
und schwangen sie sich in die Höh',
dann nur perfekt im Pas de deux.

So wurde jeder ihrer Bogen
ein Rätsel für Entomologen
– als ob es niemals ein Ballett,
das stechbar ist, gegeben hätt' …

Der zerstörte Vorsatz

Ein Hahn ging einst im Hühnerhof zum Tanze.
Er warf sich vor den Hennen in die Brust.
Der stolze Gockel wippte mit dem Schwanze
und fragte unablässig: Habt ihr Lust?

Er schmiß die bunten Federn in die Höhe
und nestelte erregt am Federkleid,
als säßen dort kohortenweise Flöhe.
Ich gebe, schrie er, euch sofort Bescheid!

Da riefen neunzehn Hennen von der Leiter:
Du dummer Hahn, was machst du für Tamtam?
Komm endlich rauf. Dann sehen wir schon
weiter.
Da floh der Hahn entsetzt. Cherchez la femme.

Leumund

Seit unvorstellbar langer Zeit
galt er als Maß für Tugend,
als Inbegriff der Lauterkeit
und Vorbild für die Jugend.

Ein Geldbriefträger, das war er,
bedacht, daß nichts passierte,
wenn er als Bote im Verkehr
stadtauf und -ab marschierte.

Da klauten ein paar Lumpen die
ihm anvertrauten Gelder.
Kein Mensch war da, der irgendwie
ihm half. Kein Feuermelder.

Dann stahl man ihm zu guter Letzt
selbst Hose, Hemd und Mütze.
Er wehrte sich und lag entsetzt
und nackt in einer Pfütze.

Der brave Mann, ganz unverhofft,
erlebte sein Desaster.
Ach der, hieß es von nun an oft,
der nackte alte Knaster
von damals. Auf dem Pflaster.

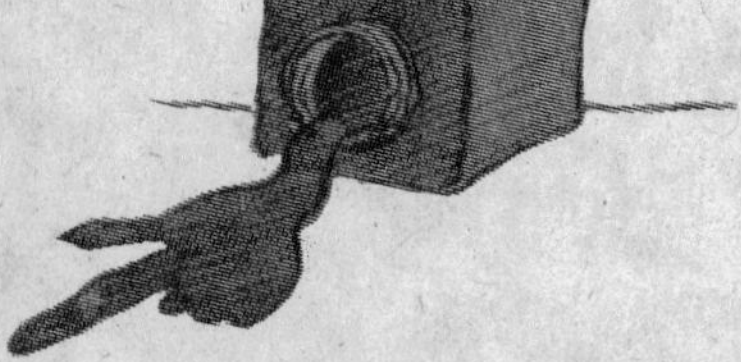

Anpassung

Von dem der Affen einmal abgesehen,
die uns ja ohnehin sehr nahestehen,
steht unser Ohr mit seiner Häßlichkeit allein.
Das muß die Folge schnöder Alltagsarbeit sein.

Verschieden

Passiert es uns, dann ist's vorbei.
Die Mode aber ist gescheiter.
Wie oft sagt man: Ihr letzter Schrei.
Und dennoch lebt sie hurtig weiter.

Zitheraal

Tief unten auf dem Meeresgrund
lag einstmals eine Zither. Und
die nahm den Aal zum Freier.
Bald legte sie auch Eier.
Und so gab es mit einemmal
den werterhöhten Zitheraal.

Happy-End

Er war ein positiver Held.
Von allen Seiten blankgeputzt.
Auf jeder Art Bewährungsfeld
nach goldnen Regeln ausgenutzt.

Man webte ihn in Teppichtuch,
man modellierte ihn als Akt,
und ohne ihn gab's kaum ein Buch
und gab es keinen Operntakt.

So nahm sich jedermann ein Stück.
Er ging en suite von Hand zu Hand
und schrumpfte, bis zu seinem Glück
ihn schließlich keiner wiederfand.

Wunschtraum eines Kleinwagenfahrers

Sollte mich einst, gottbefohlen,
irgendwie der Teufel holen,
faßte ich mir rasch ein Herz
und befähle: himmelwärts!

Ohne länger nachzudenken,
würde ich nach oben lenken,
und dort stiege ich dann zum
traumhaft Großen Wagen um.

Fingerzeig

Aus einem alten Regenrohr
wuchs rank ein Birkenstamm empor,
verzweigte sich vielhundertfach
zu einem grünen Blätterdach
und hatte bald, als sei's bezweckt,
den Giebel völlig zugedeckt.
Er diente ohne Eigennutz
dem Haus als Schmuck und Regenschutz
sowie mit jedem grünen Zweig
als virulenter Fingerzeig:
Selbst Unkraut, steht's am rechten Fleck,
dient manchmal einem guten Zweck!

Inhaltsverzeichnis

Eingelullt in den Gedanken

Wenn du an meinem Halse bammelst

Kannst du einen Knüppel schwingen

Menschlich gedacht

... fährt er auch für den Betrieb

Doch was, wenn die Sirene brennt